À l'ami Riff
Rascal

À Maëlle et Manou,
ma Petite Ourse et ma Grande Ourse
Pascal

«Passons passons puisque tout passe»
Guillaume Apollinaire

© 2006, *l'école des loisirs*, Paris
Loi 49 956 du 16 juillet 1949,
sur les publications destinées à la jeunesse.
Dépôt légal : mars 2006

Typographie: *Architexte*, Bruxelles
Photogravure: *Media Process*, Bruxelles
Imprimé en Belgique par *Daneels*

Le loup
dans la bergerie

Texte de Rascal
illustrations de Pascal Lemaitre

PASTEL
l'école des loisirs

Un loup vivait dans une forêt bordée de ronces.
Comme bon nombre de loups, ce loup adorait la chair fraîche.
Pareil à chaque enfant qui a son bonbon préféré, ce loup
avait sa chair fraîche préférée: le mouton dodu.

Cela tombait à point nommé, car, en contrebas de sa forêt protégée de ronces, se trouvait un joli pré vert où broutait un troupeau de deux cents moutons dodus, gardé par un jeune berger.

Par chance pour le loup, le jeune garçon se passionnait davantage pour la lecture que pour la garde de ses moutons.

Melchior, c'était son nom, passait le plus clair de son temps
le nez dans ses livres et, s'il lui arrivait de relever la tête,
ce n'était pas tant pour compter ses moutons,
que pour réfléchir ou sourire à ce qu'il venait de lire.
Ainsi allait la vie. Pendant que Melchior dévorait les livres,
le loup dévorait les moutons dodus !

Sitôt réveillé, le loup déjeunait de trois tasses d'expresso
en se curant les crocs entre chaque gorgée de café brûlant.

Ensuite, il enfilait sa pelisse de mouton dodu et descendait jusqu'au pré vert où, ainsi déguisé, il se mêlait au troupeau.

Pendant que Melchior vivait, de bon matin, les aventures d'Ulysse, de Nils Holgersson ou de Sindbad le marin, le loup attirait un mouton dodu et le saignait, loin du troupeau et du jeune berger.

Rentré dans sa demeure, il le dévorait à belles dents, tiède et cru, assaisonné du meilleur sel gris, le tout entrecoupé de carafes d'eau fraîche qu'il buvait d'un seul trait. Puis, il rotait en faisant grand bruit de tonnerre. Son logis n'était guère des mieux tenus et aurait fait rougir de honte n'importe quel autre maître de céans.

Le loup, lui, s'en moquait éperdument. Lorsqu'il ne restait
rien d'autre que la carcasse de l'infortuné mouton dans sa large
assiette de fer blanc, il jetait au sol les os nettoyés de leur viande
et s'essuyait ensuite la gueule avec la laine, comme on le fait
avec une serviette lorsqu'on est bien élevé.

Ainsi, sous les crocs du loup, le troupeau fondait comme neige au soleil, jusqu'au jour où un mouton dodu le supplia à chaudes larmes de lui laisser la vie sauve. «Pourquoi le ferais-je, Mouton ?» demanda le loup. «Pose-moi une question dont tu ignores la réponse et, si je te réponds...»

«Je te laisserai la vie sauve… C'est cela?» coupa le loup.
Il réfléchit un court instant à la proposition du mouton dodu.
Comme il ne connaissait aucune devinette, charade ou rébus
et que de nombreuses questions sans réponse se bousculaient
depuis toujours dans sa tête, il lui dit: «Pourquoi pas?»
Il choisit alors la question qui revêtait le plus d'importance
à ses yeux et la formula tout au creux de l'oreille du mouton,
en articulant du mieux qu'il pouvait: «*Pourquoi vit-on?*»
Ravi que la question soit si simple, le mouton répondit tout de go:
«Pour manger de l'herbe grasse ou du mouton dodu, c'est selon!»
«C'est tout?» s'étonna le loup.
«C'est tout!» répondit le mouton dodu, satisfait.
Il va sans dire qu'il n'eut pas la vie sauve et qu'il termina
dans l'heure, tout cru et tout salé, dans le ventre du loup.

Ce soir-là, du haut de la montagne de laine qui lui tenait lieu
de lit, le loup pensa à cette grande question qui le gardait en éveil :
«*Pourquoi vit-on ?*» Je la reposerai demain à l'un des moutons dodus,
se disait-il en regardant les étoiles scintiller par l'un des trous du toit.

Le lendemain, comme chaque matin, le loup éloigna un mouton
dodu du troupeau. Pour la première fois, il ne l'avait pas choisi
pour son extrême embonpoint, mais pour son regard, qui semblait
pétiller de plus de malice et d'intelligence que celui de ses frères.
«Si tu réponds à ma question, je te laisserai la vie sauve, Mouton!»
Ravi que sa vie ne prenne fin dans la seconde, le mouton dodu
arracha encore une poignée d'herbe et attendit la question du loup
en chiquant. Sa réponse fut bien différente de celle donnée par
le mouton dodu de la veille, mais celle-ci ne satisfit pas plus le loup.
C'est pourquoi il le saigna après avoir levé les épaules et marmonné
entre ses crocs: «Naître de soi-même... N'importe quoi!»

Chaque soir donc, un mouton dodu manquait à l'appel
et le troupeau eut bientôt vent des singulières méthodes du loup.
Comme les moutons étaient ignares en toutes choses et qu'ils
ne connaissaient de la vie que leur pré vert et l'herbe grasse qui y
poussait, ils demandèrent au jeune berger de leur apprendre à lire.

Ceci fait, ils purent apprendre à loisir tout ce qui leur tombait
dans les pattes : la recette du pâté en croûte, la suprématie française,
la théorie de la relativité ou la composition des métaux alcalins.
Entre deux poignées d'herbe, le troupeau passait désormais
ses journées à apprendre.

Chacun des moutons partageait et testait ses nouvelles connaissances avec ses voisins, si bien que l'on pouvait encore entendre au cœur de la nuit: «Bataille de Marignan?» «1515!» bêlait le troupeau tout entier.

Au rythme d'un mouton par matin, tous terminèrent, après
détour par la question, dans la grande assiette en métal du loup.
Malgré l'étendue de leur savoir, aucun d'entre eux n'avait trouvé
la bonne réponse à la question du loup. Melchior se retrouva,
un beau soir, seul avec ses livres.

Quelques longs jours passèrent sans que le loup ne se levât de sa couche de laine. Au sommet de sa montagne de peaux, il pensait à LA grande question et aux multiples réponses que lui avaient données les moutons dodus. La faim commençait à le tenailler sérieusement et son estomac vide se rapprochait d'heure en heure de ses talons.

N'y tenant plus, le loup quitta son logis, traversa le bois obscur
où les hiboux hululaient, se griffa aux épines de ronces entrelacées
et courut par le pré constellé de lucioles.

Arrivé à la bergerie, il leva sans peine le loquet de bois qui entravait la porte et entra. Les quatre murs de pierres sèches de l'humble bâtisse ressemblaient à ceux d'une bibliothèque, tant le nombre de livres y était important.
Guidé par son flair et la lumière pâle de la lune, le loup s'avança vers le jeune berger qui dormait sur son lit de paille.

Réveillé par l'odeur forte du loup, Melchior craqua une allumette et alluma sa lampe tempête. «Que fais-tu chez moi ? demanda-t-il, tout tremblant, au loup qui se trouvait à présent dans la lumière. Tu as déjà dévoré tous mes moutons, que veux-tu à présent ?»
«Je meurs de faim, hurla le loup, et d'une voix qui se voulait plus douce, il lui dit en salivant : je suis venu te manger, mon enfant !»

Le jeune berger ne se démonta pas et dit au loup qui le dominait:
«Avant que tu ne me manges, j'aimerais entendre ta question.»
«Je te trouve bien présomptueux, lui répondit le loup. Crois-tu
que tu vas réussir là où un troupeau entier de moutons a échoué ?
Je m'étais résigné à ce que cette question reste sans réponse,
mais puisque tu sembles y tenir, je vais te la poser.»
Le loup releva ses babines et laissa apparaître ses crocs luisants.
Puis, il approcha lentement sa gueule de l'oreille de Melchior
et lui dit: *«Pourquoi vit-on ?»*

L'enfant se leva de son lit de paille et répondit
en même temps que son fusil… «Ce soir, je vis pour te tuer!»

«Pour me tuer ?» répéta le loup, incrédule.
Mais, lorsqu'il vit son sang qui giclait par saccades hors
de son ventre, il comprit que le jeune berger disait vrai.